Die schönsten
Kinderreime
für Spiel und Spaß

Bernd Brucker

Die schönsten
Kinderreime
für Spiel und Spaß

GONDROM

© Gondrom Verlag GmbH, Bindlach 2004

Redaktion und Produktion: Medienagentur Gerald Drews, Augsburg
Illustrationen: Bert K. Roerer, Augsburg

011

ISBN 3-8112-2414-X

5 4 3 2 1

Inhalt

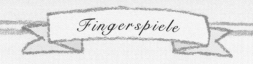

Fingerspiele

Für ein kleines Spiel ist immer Zeit: ob beim Zubettgehen, beim Wickeln oder auch einfach zwischendurch. Mit einfachen Fingerspielen werden zudem wichtige Grundlagen geschaffen, wie die Entwicklung von Koordinationsfähigkeit, Körper- und Sprachgefühl. Dabei kommt es nicht darauf an, dass die Kleinen möglichst früh lernen, wie man richtig zählt oder wo sich welcher Finger befindet. Viel wichtiger ist es, dass Ihr Kind merkt: Sie beschäftigen sich mit ihm und sind für es da. Gerade die kleinen Rituale – und auch das sind Fingerspiele – zeigen Babys und Kleinkindern, dass es etwas gibt, worauf sie sich verlassen können. Somit sind sie der erste Schritt zu einem gesunden Selbstvertrauen.

Meine lieben Fingerlein

Meine lieben Fingerlein
müssen sehr beweglich sein,
dass ich – wachs ich nun heran –
vieles damit machen kann.

Das ist der Daumen

Das ist der Daumen,
der schüttelt die Pflaumen,
der hebt sie auf,
der trägt sie nach Haus,
und der kleine, der isst sie alle auf.

*Alle Finger des Kindes werden nacheinander
angetippt und bewegt. Am Schluss wird mit der Hand
die Hand des Kindes umfasst.*

Das ist das Kleinchen

Das ist das Kleinchen,
das ist das Beinchen,
das ist der lange Mann,
das ist der Zeigemann,
das ist der dicke Mann,
der so schön nicken kann.

Ins Bett

Das ist das dicke Babettchen,
das will nie ins Bettchen.
Das ist die Elfriede,
die ist auch nie müde.
Das ist der lange Klaus,
der muss noch mal raus.
Der Peter unterdessen,
der muss noch was essen.
Nur unser Kleiner lieb und nett,
nimmt Teddy am Beinchen
und geht ins Bett.

Der Apfel

*Für dieses Spiel wird ein Apfel oder
ein anderer beliebiger Gegenstand benötigt.*

Fünf Finger stehen hier und fragen:
„Wer kann diesen Apfel tragen?"
Alle Finger sind in Bewegung.

Der erste Finger kann es nicht,
Eine Faust machen, den Daumen heben und bewegen.

der zweite sagt: „zu viel Gewicht"
Den Zeigefinger strecken und hin und her wackeln.

der dritte kann ihn auch nicht heben,
Jetzt kommt der Mittelfinger dazu.

der vierte schafft das nie im Leben.
Mit dem Ringfinger wackeln.

Der fünfte aber spricht:
„Ganz allein, so geht das nicht!"
Mit dem kleinen Finger wackeln.

Gemeinsam heben kurz darauf
fünf Finger diesen Apfel auf.

Der Apfel wird mit der ganzen Hand gegriffen und aufgehoben.

Fünf Freunde

Fünf Freunde sitzen dicht an dicht.
Sie wärmen sich und frieren nicht.
Der erste sagt: „Ich muss jetzt geh'n."
Der zweite sagt: „Auf Wiederseh'n!"
Der dritte hält es auch nicht länger aus.
Der vierte läuft zur Tür hinaus.
Der fünfte ruft: „Hey ihr, ich frier'"
Da wärmen ihn die anderen vier.

Die Hand ist zunächst zur Faust geballt, mit dem Daumen außen. Nacheinander werden alle Finger ausgestreckt, angefangen beim kleinen Finger. Bei „Hey ihr, ich frier'" mit dem Daumen wackeln, bevor ihn die anderen umschließen und wärmen.

Stachelschwein

Ich bin ein kleines Stachelschwein
und ziehe meine Stacheln ein.
Erst 1, dann 2, dann 3, dann 4, dann 5,
dann strecke ich sie wieder aus
und laufe schnell nach Haus.

Zu Beginn die offene Hand zeigen und mit den Fingern wackeln. Dann alle Finger nacheinander einziehen, wieder ausstrecken und mit der Hand zum Kind hinkrabbeln und es kitzeln.

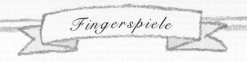

Kleines rotes Auto

Ein kleines rotes Auto, das hält vor unsrem Haus.
„Halt! Ich fahre mit!"
ruft der dicke Pit.
„Ich steig jetzt ein!"
ruft der lange Hein.
„Macht mir Platz!"
ruft der starke Max.
Dann kommt die Tante Hilde.
Das ist vielleicht 'ne Wilde!
Und ganz zum Schluss der Klaus,
der ist so klein wie eine Maus.

Der sagt

Der sagt: Ich bin mächtig und reich!
Der sagt: Ich bin der Wüstenscheich!
Der sagt: Ich bin der Nikolaus!
Der sagt: ICH *(betont sprechen)* bin die kleine Maus!
Der Kleine sagt: Ich glaub, ihr spinnt!
Ihr wisst doch dass wir Finger sind!

Nacheinander werden alle Finger angetippt.
Am Schluss mit allen Fingern zappeln.

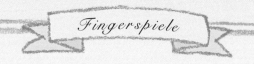

Was die Finger alles können

Der Daumen dreht sich rundherum.
Mit dem Daumen kreisen.

Der Zeigefinger biegt sich um.
Den Zeigefinger beugen.

Der Mittelfinger macht's ihm nach.
Den Mittelfinger beugen.

Der Ringfinger sagt: „Dass ich nicht lach!"
Den Ringfinger beugen.

„Das kann ich auch", sagt dieser Kleine.
Nun steht er hier so ganz alleine,
mit einem Mal Kopf unter
beugt er sich auch herunter.

*Mit dem kleinen Finger zuerst hin und her wackeln
und ihn anschließend auch beugen.*

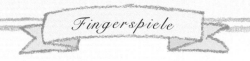

Die Familie von guter Art

Das ist der Vater mit frohem Mut,
das ist die Mutter, lieb und gut,
das ist der Bruder, schlank und groß,
das ist die Schwester mit dem Püppchen im Schoß,
das ist das Kindchen, klein und zart.
Das ist die Familie von guter Art.

*Der Reihe nach auf den Daumen, den Zeigefinger,
den Mittelfinger, den Ringfinger und den kleinen Finger
des Kindes zeigen. Schließlich alle Finger mit der Hand umschließen.*

Das Däumchen fiel ins Wasser hinein

Das Däumchen fiel ins Wasser hinein,
der holte heraus das Brüderlein,
der hat es in das Bett gesteckt,
der hat es sorgsam zugedeckt,
der kleine Schelm, der lustige,
der hat es wieder aufgeweckt.

*Nacheinander mit allen Fingern wackeln.
Den Anfang macht der Daumen.*

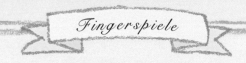

Fünf Finger hab' ich an der Hand

Fünf Finger hab' ich an der Hand.
Ich weiß, sie alle sind bekannt:
Mit dem Daumen fängt es an,
Zeigefinger kommet dann,
Mittelfinger in der Mitte
folgt darauf und ist der dritte.
Goldner Finger ist der vierte,
trägt ein Ringlein oft zur Zierde.
Endlich noch Kleinfingerlein.
Alle, alle sind sie mein.

Beim Däumchen sag ich eins

Beim Däumchen sag ich eins,
beim Zeigefinger zwei,
beim Mittelfinger drei,
beim Ringfinger vier,
beim kleinen Finger fünf ich sage.
Hab' ins Bettchen all gelegt,
schlafen, keines mehr sich regt.
Still, dass keins zu früh erwache!

*Die Finger des Kindes nacheinander umlegen und
dann mit der eigenen Hand zudecken.*

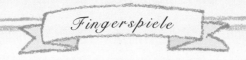

Wenn's regnet

Der sagt, wenn's regnet,
geh' ich nicht raus.
Der sagt, wenn's regnet,
bleib ich zu Haus.
Der sagt, wenn's regnet,
macht's keinen Spaß.
Der sagt, wenn's regnet,
werd ich ja nass.
Nur der Kleine kann nicht warten
und geht mit dem Schirm in den Garten.

Nacheinander alle Finger zeigen und mit ihnen wackeln.

Der Daumen wollte spazieren geh'n

Der Daumen wollte spazieren geh'n,
der Zeiger möchte bei ihm steh'n.
Da kam gar bald der aus der Mitten
den beiden andern nachgeschritten.
Ringfinger macht' sich auf die Beine
und endlich kam dann noch der Kleine.
Wie gut, dass keins zu Hause blieb;
sie hatten sich ja alle lieb.

Alle meine Finger

Alle meine Fingerlein
wollen einmal Tiere sein.
Dieser Daumen dick und rund
ist ein großer Schäferhund.
Der Zeigefinger ist das Pferd,
ist bei dem Reiter sehr begehrt.
Der Mittelfinger ist die Kuh,
die macht immer muh muh muh.
Der Ringfinger ist der Ziegenbock,
mit dem langen Zottelrock.
Und das kleine Fingerlein,
das soll unser Lämmchen sein.

Der Herbst ist da

Daumen sagt: „Der Herbst ist da!"
Zeigefinger ruft: „Hurra, hurra!"
Dem Mittelfinger gefällt das nicht:
„Der Herbst bringt auch viel Regen mit!"
Der Ringfinger schreit gleich drein:
„Der Herbst, ja der beschenkt uns fein!"
Der Kleine freut sich und lacht:
„Der Herbst hat uns Birnen, Äpfel und Trauben gebracht!"

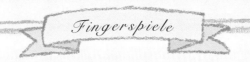

Fünf Männlein sind in den Wald gegangen

Fünf Männlein sind in den Wald gegangen,
die wollten den Osterhasen fangen.
Das erste, das war so dick wie ein Fass,
das brummte immer: „Wo ist der Has? Wo ist der Has?"
Das zweite rief: „Sieh da, sieh da!
Da ist er ja, da ist er ja!"
Das dritte war das allerlängste,
doch leider auch das allerbängste,
das fing gleich an zu weinen:
„Ich sehe keinen, ich sehe keinen!"
Das vierte sagte: „Das ist mir zu dumm,
ich mach' nicht mehr mit, ich kehr' wieder um!"
Das kleinste aber, das hat's gemacht,
das hat den Hasen nach Hause gebracht!
Da haben alle Leute gelacht.

Nacheinander mit allen Fingern wackeln.

Da oben auf dem Berge

Da oben auf dem Berge,
da ist der Teufel los,
da zanken sich fünf Zwerge
um einen dicken Kloß.
Der erste will ihn haben,
der zweite lässt ihn los,
der dritte fällt in'n Graben,
dem vierten platzt die Hos',
der fünfte schnappt den Kloß
und isst ihn auf mit Soß'!

*Die Faust wird zuerst schnell hintereinander
geöffnet und wieder geschlossen. Dann aus der
geschlossenen Faust nacheinander alle Finger strecken.*

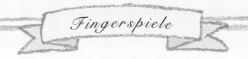

Zwei Zappelmänner

*Zu Beginn werden beide Fäuste aneinander gehalten,
die Daumen sind darin versteckt.*

Zwei Zappelmänner
aus dem Sack!
Beide Daumen in die Höhe strecken.

Der eine heißt Schnick,
Linker Daumen verbeugt sich.

der andre heißt Schnack.
Rechter Daumen verbeugt sich.

Schnick hat 'ne Mütze
Mit dem linken Daumen wackeln.

und Schnack hat 'nen Hut,
Mit dem rechten Daumen wackeln.

und alle beide
vertragen sich gut.

*Beide Daumen gegeneinander bewegen,
sodass sie sich berühren.*

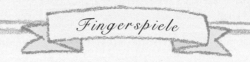

Wie das Hähnchen auf dem Turm

Wie das Hähnchen auf dem Turm
sich kann dreh'n bei Wind und Sturm,
so soll sich mein Händchen dreh'n,
dass es schön ist anzuseh'n.

*Die Hände hin und her drehen und
dabei immer schneller werden.*

Pitsche, patsche, Peter

Pitsche, patsche, Peter,
hinterm Ofen steht er,
flickt sein' Schuh' und schmiert sein' Schuh';
kommt die alte Katz' dazu,
frisst die Schuh' und frisst die Schmer,
frisst mir alle Teller leer.

*Beide Hände des Kindes nehmen und
im Takt aneinander klatschen.*

Vögel

Alle meine Fingerlein
wollen heute Vögel sein.

Beide Hände hochheben und mit den Fingern wackeln.

Sie fliegen hoch,
sie fliegen nieder,

Nach oben und unten bewegen.

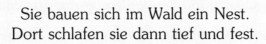

sie fliegen fort,
sie kommen wieder.

Auseinander und wieder zusammen.

Sie bauen sich im Wald ein Nest.
Dort schlafen sie dann tief und fest.

Auf dem Kopf des Kindes „landen" und streicheln.

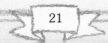

Häuschen

Mein Häuschen ist nicht ganz gerade:
Das ist schade.
Mein Häuschen ist ein bisschen krumm:
Das ist dumm.
Bläst der Wind hinein,
fällt das ganze Häuschen ein.

*Die Hände werden so zusammengelegt, dass ein schiefes
Dach entsteht. Dann pustet man hinein (oder lässt das Kind
hineinpusten) und lässt die Hände auf den Tisch fallen.*

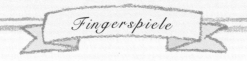

Der Kaufmann

Der Kaufmann steht vor seinem Laden und wartet auf die Kunden

*Den Daumen nach oben strecken und abwechselnd nach links
und rechts bewegen, um Ausschau zu halten.*

„Guten Morgen, Frau Meier,
brauchen Sie Eier?"

*Daumen und Zeigefinger berühren sich bei jeder Silbe,
so als würden sie sich miteinander unterhalten.*

„Guten Morgen, Frau Lang,
vom Weißbrot 'ne Stang'?"

Daumen und Mittelfinger berühren sich.

„Guten Morgen, Frau Dick,
vom Käse ein Stück?"

Daumen und Ringfinger berühren sich.

„Guten Morgen, Frau/Herr Klein,
was darf es für Sie sein?"

*Daumen und kleiner Finger berühren sich. Mit der letzten Frage
wird das Kind direkt angesprochen und darf sich danach aussuchen,
was es gerne haben möchte.*

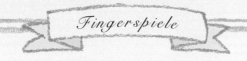

Wo ist der Daumen?

Melodie von „Bruder Jakob"

Wo ist denn der Daumen,
wo ist denn der Daumen?
Beide Hände werden hinter dem Rücken versteckt.

Da ist er!
Eine Hand wird hervorgeholt und der Daumen nach oben gestreckt.

Da ist er!
Das Gleiche mit der zweiten Hand wiederholen.

„Guten Tag, wie geht's dir?"
Mit dem linken Daumen wackeln.

„Danke ganz vorzüglich."
Mit dem rechten Daumen wackeln.

Weg ist er!
Die linke Hand hinter dem Rücken verschwinden lassen.

Weg ist er!
Die rechte Hand hinter dem Rücken verschwinden lassen.
Das gleiche Spiel kann man nacheinander mit allen Fingern wiederholen.

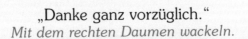

Daumen Doppeldick

Das ist der Daumen Doppeldick,
das sieht man auf den ersten Blick.

Mit dem Daumen wackeln.

Mach' ich die Hand zur Faust,

*Die Hand wird langsam zur Faust geschlossen,
der Daumen bleibt aber nach oben gestreckt.*

schlüpft Doppeldick zurück ins Haus.

Jetzt den Daumen in der Faust verschwinden lassen.

Er schnarcht, dass sich die Balken biegen.

Schnarchgeräusche machen.

Komm näher ran, dann siehst 'n liegen.

*Die Faust wird Finger für Finger geöffnet,
bis der Daumen ganz zu sehen ist.*

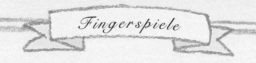

Himpelchen und Pimpelchen

Himpelchen und Pimpelchen
stiegen auf einen Berg.

*Beide Fäuste nach vorn strecken, die Daumen
nach oben. Steigbewegungen machen.*

Himpelchen war ein Wichtelmann
Mit dem linken Daumen wackeln.

und Pimpelchen war ein Zwerg.

Mit dem rechten Daumen wackeln.

Lange blieben sie dort oben sitzen
und wackelten mit ihren Zipfelmützen.

Mit beiden Daumen wackeln.

Doch nach fünfundfünfzig Wochen
sind sie in den Berg gekrochen.

Beide Daumen verschwinden in den Fäusten.

Schlafen dort in süßer Ruh.
Seid fein still und hört mal zu.
Schhhh ... Schhhh ... Schhh ...

Schnarchgeräusche machen.

Um die Geschichte noch etwas anschaulicher
zu machen, kann man auf die Daumen Gesichter malen
oder kleine Fingerpuppen überziehen.

Zehn kleine Zappelmänner

Melodie von „Zehn kleine Negerlein"

Zehn kleine Zappelmänner,
zappeln hin und her,
zehn kleinen Zappelmännern
fällt das gar nicht schwer.

Mit allen zehn Fingern hin und her wackeln.

Zehn kleine Zappelmänner,
zappeln auf und nieder,
zehn kleine Zappelmänner
tun das immer wieder.

*Weiter wackeln und die Hände dabei abwechselnd
nach oben und unten bewegen.*

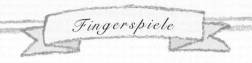

Zehn kleine Zappelmänner
zappeln rund herum,
zehn kleine Zappelmänner,
die sind gar nicht dumm.

Die zappelnden Hände führen kreisende Bewegungen aus.

Zehn kleine Zappelmänner
spielen mal Versteck,
zehn kleine Zappelmänner
sind auf einmal weg.

Die Hände werden hinter dem Rücken versteckt.

Zehn kleine Zappelmänner
rufen laut „Hurra",
zehn kleine Zappelmänner,
die sind wieder da.

*Die Hände werden wieder hinter dem Rücken
hervorgeholt und zappeln wie zu Beginn.*

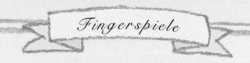

Mit Fingerlein

Mit Fingerlein, mit Fingerlein,
mit flacher Hand, mit flacher Hand,
mit Fäustchen, mit Fäustchen,
mit Ellenbogen dran.
Wiediwitsch, patsch, patsch.
Wiediwitsch, patsch, patsch.

*Nacheinander mit den Fingern, der Handfläche,
den Fäusten und den Ellenbogen auf den Tisch klopfen
und am Schluss in die Hände klatschen.*

Nasenmann

Guten Tag, Herr Nasenmann,
sieh dir meine Faust mal an:
sieht wie eine Blume aus.
Nein, ich glaube, diese Dinger
sind ja meine Finger,
mit denen ich dich kitzeln kann.

*Zuerst die Hand des Kindes schütteln,
dann eine Faust zeigen und hin und her drehen,
danach in schneller Folge die Finger einzeln öffnen
und das Kind kitzeln.*

Es tröpfelt – es regnet

Es tröpfelt, es tröpfelt,

Mit den Fingerspitzen ganz leicht auf den Tisch klopfen.

es regnet, es regnet,

Das Klopfen wird schneller und stärker.

es hagelt, es hagelt,

So laut klopfen wie möglich.

es donnert, es donnert,

Mit den Fäusten trommeln.

es blitzt, es blitzt,

*Mit den Händen einen Blitz in die Luft malen
und dabei Zischgeräusche machen.*

und alle Kinder laufen schnell nach Haus.

Mit den Fingern vom Tisch laufen.

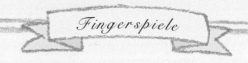

In unserm Häuschen

In unserm Häuschen
sind schrecklich viel Mäuschen.
Sie trippeln und trappeln,
sie zippeln und zappeln,
sie stehlen und naschen,
und will man sie haschen –
husch, sind sie weg!

*Mit beiden Händen über den Tisch laufen, wobei eine Hand
immer versucht, die andere zu fangen. Bei „husch, sind sie weg!"
beide Hände hinter dem Rücken verstecken.*

In Leipzig wird ein Turm gebaut

In Leipzig wird ein Turm gebaut
von Buttermilch und Sauerkraut.
Der Turm, der kriegt 'ne Ritze,
da schmiert ein fetter Fritze.
Und endlich wird es gar zu arg,
da fällt der ganze Turm in'n Quark.

*Eine Faust wird auf die andere gesetzt, dabei immer
abwechselnd eine Hand des Kindes und die eigene Hand nehmen.
Am Schluss stürzt der Turm ein. Dieses Spiel lässt sich auch gut
mit mehreren Kindern und Erwachsenen spielen.*

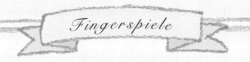

Die Brücke

Ausgangspunkt: Beide Hände sind nach vorn gestreckt,
die Handflächen zeigen nach vorn, die Finger sind gespreizt.

Zwei Daumen haben eine Brücke gebaut.

Die Hände so zusammenführen,
dass beide Daumen eine Brücke bilden.

Viele Leute haben zugeschaut.

Alle anderen Finger zappeln fröhlich hin und her.

Da ist der/die .... drüber gekrochen.

Name des Kindes einsetzen.
Mit den Zeigefingern von außen nach innen Schritt
für Schritt über die Daumen krabbeln.

Da ist die Brücke zusammengebrochen.

Die Hände auf den Tisch fallen lassen.
Das Spiel kann öfter wiederholt werden, wobei das Kind
jedes Mal entscheiden darf, wer über die Brücke geht
(zum Beispiel Mama, Papa, Oma usw.).

Mäusefamilie

Das ist Papamaus,
sieht wie alle Mäuse aus:
große Ohren,
spitze Nase,
raues Fell
und einen Schwanz sooo lang.

*Mit dem Daumen wackeln, mit den Händen große Ohren
in die Luft malen, eine lange Nase andeuten, über die Hand
des Kindes streichen, die Hände des Kindes langsam
weit auseinander ziehen.*

Das ist Mamamaus, …

Mit dem Zeigefinger wackeln, …

Das ist Brudermaus, …

Mit dem Mittelfinger wackeln, …

Das ist Schwestermaus, …

 *Mit dem Ringfinger wackeln, …*

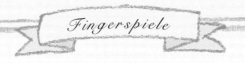

Das ist Babymaus,
sieht wie alle Mäuse aus:
kleine Ohren,
Stupsnase,
weiches Fell
und einen Schwanz so kurz.

Mit dem kleinen Finger wackeln, mit den Händen
kleine Ohren zeigen, auf die Nase stupsen,
über die Hand des Kindes streicheln, beide Hände
schnell und wenig auseinander ziehen und
wieder zusammenklatschen.

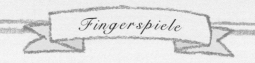

Steigt ein Büblein auf den Baum

Steigt ein Büblein auf den Baum,
ei, wie hoch! man sieht es kaum.

Mit den Fingern am Arm hochkrabbeln.

Hüpft von Ast zu Ästchen,

Von einer Schulter auf die andere springen.

schlüpft zum Vogelnestchen,

Mit beiden Händen den Kopf streicheln.

Ui, da lacht es!
Bums, da kracht es!
Plumps, da liegt es unten.

*In die Hände klatschen und danach die Hände
auf die Oberschenkel fallen lassen.*

Oder:

*Den linken Arm nach oben halten und die Finger spreizen.
Mit der rechten Hand hochklettern und von Finger zu
Finger springen. Das Nestchen befindet sich zwischen
Daumen und Zeigefinger. Am Schluss in die Hände klatschen.*

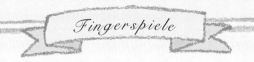
Schneemann und Schneefrau

Der Schneemann und die Schneefrau
stehen an ihrem Platz.

*Nacheinander werden die linke und die rechte Faust
in die Höhe gehalten und danach nebeneinander
auf den Tisch gestellt. Die Daumen zeigen dabei nach oben.*

Doch scheint die Sonne warm,
zerfließen sie zu Matsch.

Beide Hände klatschen nebeneinander auf den Tisch.

Der Schneemann und die Schneefrau,
die machen einen Schwatz.

*Die Hände bleiben auf dem Tisch liegen.
Die Daumen hochhalten und gegeneinander tippen.*

Doch wenn es regnet,

Mit den Fingerspitzen auf den Tisch klopfen.

ist's aus mit ihnen – klatsch!

Die Hände klatschen auf den Tisch.

Bimmel, bammel, bommel

Bimmel, bammel, bommel,
die Katze schlägt die Trommel.
Zehn kleine Mäuschen
tanzen in der Reih'
und die ganze Erde
donnert laut dabei.

*Zuerst mit den Fäusten auf den Tisch trommeln,
dann mit allen zehn Fingern und am Schluss
mit den flachen Händen.*

Taler

Da hast 'nen Taler,
gehst auf'n Markt,
kaufst dir 'ne Kuh
und ein Kälbchen dazu.
Das Kälbchen hat ein Schwänzchen,
didel didel dänzchen.

*Bei „Taler", „Markt", „Kuh" und „Kälbchen"
jeweils mit der offenen Hand auf die Hand des Kindes klatschen
und darüber streichen. Am Schluss die Hand kitzeln.*

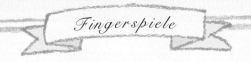

Die Fliege summ-summ-summ

Schau, die Fliege summ-summ-summ,
sie fliegt um deinen Kopf herum.
Sie fühlt sich so bei dir zu Haus'
und ruht sich auf (der Nase) aus.

*Zwischen Daumen und Zeigefinger befindet sich
eine imaginäre Fliege, die zunächst dem Kind um den
Kopf herum fliegt, bis sie sich schließlich irgendwo landet
(zum Beispiel auf der Nase, dem Bauch, den Armen usw.).*

Kommt ein Mann die Treppe rauf

Kommt ein Mann die Treppe rauf,
klingelt,
bimbam,
klopft an:
„Guten Tag, Frau Nasemann."

*Mit einer Hand den Arm hinaufkrabbeln, beim Klingeln
am Ohrläppchen zupfen, beim Klopfen mit dem Zeigefinger
an die Stirn tippen und bei „Guten Tag, Frau Nasemann"
die Nasenspitze anfassen und wackeln.*

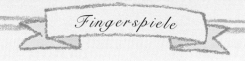

Kommt ein Mäuschen

Kommt ein Mäuschen,
kriecht ins Häuschen,
will von der/dem ....
Name des Kindes einsetzen.
den Speck.

*Langsam mit den Händen am Bauch des Kindes
hochkrabbeln und am Hals (hinter den Ohren, an der Nase ...) kitzeln.*

Kinne Wippchen

Kinne Wippchen,
rote Lippchen,
Stuppel-Näschen,
Augenbräunchen,
zupf, zupf mein Härchen!

*Der Reihe nach Kinn, Mund, Nase und Augenbrauen
des Kindes berühren und zuletzt an den Haaren zupfen.*

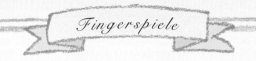

Kriecht 'ne Schnecke

Melodie von „Bruder Jakob"

Kriecht 'ne Schnecke,
kriecht 'ne Schnecke
den Berg hinauf,
den Berg hinauf,

*Mit der flachen Hand den Rücken
des Kindes „hinaufkriechen".*

vorne wieder runter,
vorne wieder runter

*Über die Schulter bis zum Bauch
wieder „hinunterkriechen".*

kitzelt dich am Bauch,
kitzelt dich am Bauch.

Am Bauch kitzeln.

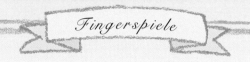

Sonnenkäfer

1. Strophe:
Sie haben rote Röckchen an,
mit kleinen schwarzen Pünktchen dran.

Refrain:
Erst kommt der Sonnenkäferpapa,

Am rechten Arm des Kindes hochkrabbeln.

dann kommt die Sonnenkäfermama

Am linken Arm des Kindes hochkrabbeln.

und hintendrein, ganz klitzeklein,
die Sonnenkäferkinderlein.

Ganz schnell den Rücken hochkrabbeln.

2. Strophe:
Sie machen ihren Sonntagsgang,
auf unsrer Gartenbank entlang.

3. Strophe:
Sie wollen auf die Wiese geh'n,
wo viele bunte Blumen steh'n.

4. Strophe:
Sie breiten ihre Flügel aus
und fliegen ganz geschwind nach Haus.

5. Strophe:
Und abends geh'n die Käferlein
in ihre Käferbetten rein.

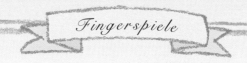

Kommt 'ne Maus

Kommt 'ne Maus,
baut ein Haus.
Kommt 'ne Mücke,
baut 'ne Brücke.
Kommt ein Floh,
der macht so!

*Mit den Fingern am Arm hochkrabbeln
und hinter dem Ohr kitzeln.*

Da kommt der Bär,
der tappt so schwer,
da kommt die Maus
in Hänschens Haus –
da hinein, da hinein!

*Auf dem Bauch hochkrabbeln
und unter dem Kinn kitzeln.*

Da kommt die Maus,
da kommt die Maus.
Klingelingeling!
„Ist der Herr zu Haus?"

*Um den Kopf herum krabbeln
und an der Nase stupsen.*

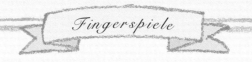

Ringele, Ringele

Ringele, Ringele,
kreuzweis,
Ellenbogen,
Näslein 'zogen,
großer Patsch,
kleiner Patsch,
kribbele, krabbele, krabbele.

*In die Handfläche werden mit dem Finger
zwei Ringe und ein Kreuz gemalt, danach wird
der Ellenbogen hineingelegt, dann zieht man
an der Nase, klatscht zweimal die Hände des
Kindes gegeneinander und kitzelt am
Schluss in der offenen Hand.*

Sälzchen, Schmälzchen

Sälzchen,
Schmälzchen,
Butterchen,
Brötchen,
Kribbelkrabbelkrötchen.

*Über die Handfläche des Kindes
streicheln und dann kitzeln.*

Ei, wer kommt denn da daher?

Ei, wer kommt denn da daher?
Ist das nicht ein brauner Bär?
Oder gar ein Elefant
aus dem fernen Morgenland?
Nein, es ist ein kleines Mäuschen.
Ei, wo ist es, sag es doch!
Hier ist das kleine, kleine Mauseloch!

*Der Bär und der Elefant krabbeln ganz langsam,
das Mäuschen wird ganz flink und kitzelt das Kind am Ende.*

Katzen können Mäuse fangen

Katzen können Mäuse fangen,
haben Krallen wie die Zangen,

*Die rechte Hand in die Luft halten und
zu einer Pranke formen. Dabei bedrohlich sprechen.*

schlüpfen durch die Bodenlöcher,
auch zuweilen auf die Dächer.

Langsam in Richtung des Kindes bewegen.

Mäuschen mit dem Ringelschwänzchen
machen auf dem Dach ein Tänzchen.

*Mit der linken Hand auf dem Handrücken
des Kindes herumkrabbeln.*

Leise, leise kommt die Katz',
hat sie all' auf einen Satz!

*Mit der rechten Hand die Finger der linken Hand
mitsamt der Hand des Kindes fangen.*

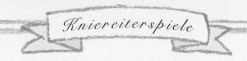

Kniereiterspiele

Schon für die Kleinsten ein Riesenspaß, von dem sie –
das zeigt die Erfahrung – gar nicht genug bekommen können.
Als Erwachsener wundert man sich manchmal über die Ausdauer,
mit der Kinder immer und immer wieder dasselbe Spiel spielen können,
ohne dass ihnen die Lust daran vergeht. Und in aller Regel sind es die
Erwachsenen – nicht die Kinder –, denen zuerst die Puste ausgeht.
Deshalb vielleicht ein kleiner Tipp: Bringen Sie die nötige Geduld –
und Kondition – mit, bevor Sie mit dem Spiel beginnen. Und denken
Sie daran, dass Ihre Liebsten beim „Reiten" richtig aufdrehen. Direkt
vor dem Schlafengehen ist also nicht unbedingt die beste Zeit dafür …
Der Dauerbrenner unter den Kniereiterspielen und die unbestrittene
Nummer Eins ist nach wie vor „Hoppe, hoppe, Reiter", das jeder
noch aus seiner eigenen Kindheit kennt, aber ein wenig Abwechslung
kann auch nicht schaden. Im Grunde genommen eignen sich die
meisten Kinderlieder oder Kindergedichte, sofern sie nur den richtigen
Rhythmus haben. Und das Prinzip ist auch immer das gleiche:
Man setzt das Kind auf die Knie – mal vorwärts, mal rückwärts –,
beginnt auf und ab zu wippen – mal schneller, mal langsamer –,
und je nach Spiel wirft man „den Reiter" ab oder beschäftigt ihn auf
eine andere Weise …

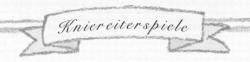

Hoppe, hoppe, Reiter

*Das Spiel gibt es auch in mehreren längeren Versionen,
die sich regional unterscheiden. Hier ist eine davon:*

Hoppe, hoppe, Reiter,
wenn er fällt, dann schreit er!
Fällt er in den Teich,
find't ihn keiner gleich,
fällt er in die Hecken,
fressen ihn die Schnecken,
fressen ihn die kleinen Mücken,
die ihn vorn und hinten zwicken,
fällt er auf die Steine,
tun ihm weh die Beine,
fällt er in den Schnee,
tut's ihm gar nicht weh,
fällt er in den Graben,
fressen ihn die Raben,
fällt er in den Sumpf,
macht der Reiter plumps.

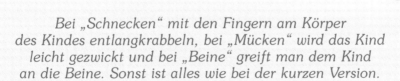

*Bei „Schnecken" mit den Fingern am Körper
des Kindes entlangkrabbeln, bei „Mücken" wird das Kind
leicht gezwickt und bei „Beine" greift man dem Kind
an die Beine. Sonst ist alles wie bei der kurzen Version.*

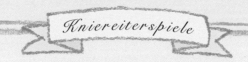

Hoppe, hoppe, Reiter

Hoppe, hoppe, Reiter,
wenn er fällt, dann schreit er!
fällt er in den Graben,
fressen ihn die Raben,
fällt er in den Sumpf,
macht der Reiter plumps.

*Das Kind auf den Schoß nehmen, die Knie im Takt auf
und ab bewegen und am Schluss das Kind zwischen
den Beinen durch rutschen lassen.*

Herr Pinz und Herr Panz

Herr Pinz und Herr Panz, die gingen zum Tanz,
zum Tanz gingen Herr Pinz und Herr Panz
und da machten sie so
und dann machten sie so
und am Schluss
da strampelten sie froh.

*Bei „Herr Pinz" wird der linke Fuß, bei „Herr Panz"
der rechte Fuß geschüttelt. Bei „da machten sie so" das Kind
zuerst nach links und dann nach rechts in die Höhe heben.
Zum Schluss werden beide Beine geschüttelt.*

Kleines Pony

Ich bin ein kleines Pony,
mein Reiter der heißt Conny.
Schreit Conny einmal hopp,
dann lauf' ich im Galopp.
Wird mir die Puste knapp,
dann laufe ich im Trab.
Und komm' ich nicht mehr mit,
dann laufe ich im Schritt.
Und mache ich dann schlapp,
dann werf' ich Conny ab.

*Zuerst schnell reiten, langsamer werden, ganz langsam
werden und schließlich das Kind nach hinten fallen lassen.*

Hopp, hopp, ho!

Hopp, hopp, ho!
Das Pferdchen frisst kein Stroh,
musst dem Pferdchen Hafer kaufen,
dass es kann im Trabe laufen.
Hopp, hopp, ho!
Das Pferdchen frisst kein Stroh.

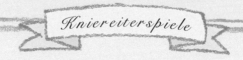

Am Baum, da hängt ein Ast

Am Baum, da hängt ein Ast,
der trägt schwere Last.
Im Sommer wie im Winter
reiten drauf die Kinder,
sie rütteln und sie rappeln,
sie zittern und sie zappeln.
Sind sie dem Ast zu munter,
wirft er die Kinder runter.

Schicke, schacke, Reiterpferd

Schicke, schacke, Reiterpferd,
Pferd ist keinen Dreier wert.
Alle kleinen Kindchen
reiten auf dem Füllchen.
Wenn sie größer werden,
reiten sie auf Pferden.
Geht das Pferdchen trib, trib, trab,
fällt der kleine Reiter ab.

Hopp, hopp, hopp, zu Pferde

(Wilhelm Wackernagel)

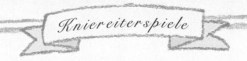

Hopp, hopp, hopp, zu Pferde,
wir reiten um die Erde,
die Sonne reitet hinterdrein,
wie wird sie abends müde sein!
Hopp, hopp, hopp, hopp, hopp, hopp!
Hopp, hopp, hopp, hopp, hopp, hopp hopp!
Hopp, hopp, hopp, hopp, hopp, hopp!
Hopp, hopp, hopp, hopp, hopp!

Hopp, hopp, hopp, mein Kindchen,
die Schwalbe fliegt geschwindchen,
am Dach, da baut sie sich ein Haus
und schaut zum Fenster raus.
Hopp, hopp, hopp, hopp, hopp, hopp!
Hopp, hopp, hopp, hopp, hopp, hopp hopp!
Hopp, hopp, hopp, hopp, hopp, hopp!
Hopp, hopp, hopp, hopp, hopp!

Hopp, hopp, hopp, hopp, hopp!
Das Pferd läuft im Galopp!
Das Pferd, das fängt an, wild zu werd'n,
und wirft den Reiter auf die Erd'n.
Hopp, hopp ho! Da liegt er!

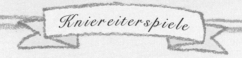

Das Steckenpferd

(Carl Hahn)

Hopp, hopp, hopp,
Pferdchen lauf Galopp.
Über Stock und über Steine,
aber brich dir nicht die Beine.
Hopp, hopp, hopp, hopp, hopp,
Pferdchen lauf Galopp!

Schnell reiten.

Tipp, tipp, tapp!
Wirf mich nur nicht ab!
Zähme deine wilden Triebe,
Pferdchen, tu es mir zuliebe:
Tipp, tipp, tipp, tipp, tapp!
Wirf mich nur nicht ab!

Langsamer werden.

Brr, brr, he!
Steh doch, Pferdchen, steh!
Sollst schon heute weiterspringen,
muss dir nur erst Futter bringen.
Brr, brr, brr, brr, he!
Steh doch, Pferdchen, steh!

Noch langsamer werden und schließlich stehen bleiben.

Ha, ha, ha!
Hei, nun sind wir da!
Diener, Diener, liebe Mutter,
findet auch mein Pferdchen Futter?
Ha, ha, ha, ha, ha!
Hei nun sind wir da!

*Tempo wieder aufnehmen und das Kind
am Schluss nach hinten fallen lassen.*

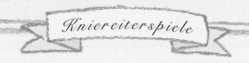

Wie reiten die Herren?

Wie reiten die Herren?
Trab, trab, trab!
Wie reiten die Bauern?
Stup, stup, stup!
Wie reitet der junge Edelmann
mit seinem Pferdchen hintendran?
Galepper, galepper, galepper!
Wie reitet das kleine Jüngferlein
auf seinem schönen Schimmelein?
Hittepitte, hittepitte –
bums! In den Graben rein!

*Erst schnell reiten und dann langsamer werden. Am Schluss
das Kind zwischen den Beinen durch rutschen lassen.*

Hopp, mein Pferdchen

Hopp, mein Pferdchen, nach der Stadt,
bring meinem lieben Kindchen wat.
Was soll ich ihm denn bringen?
'nen großen Sack voll Kringeln,
Zuckerbrot und Mandelkern.
Das mag mein liebes Kindchen gern.

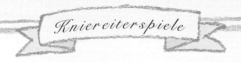

So fahren die Damen

So fahren die Damen,
so fahren die Damen.
So reiten die Herren,
so reiten die Herren.
So rumpelt der Bauer zum Tor hinaus,
so rumpelt der Bauer zum Tor hinaus.

Langsam anfangen und zum Schluss hin immer schneller werden.

Ein Reitersmann muss haben

Ein Reitersmann muss haben:
ein Pferdchen, um zu traben,
den Bügel, aufzusteigen,
den Zügel, auszuweichen,
den Sattel, fest zu sitzen,
die Gerte, um zu kitzeln,
den Sporen, um zu wecken,
den Helm, das Haupt zu decken,
die Lanze, um zu spießen,
Pistolen, um zu schießen,
den Säbel an den Seiten –
da kann er lustig reiten.

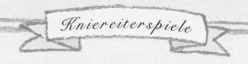

Ri-ra-rutsch

Ri-ra-rutsch!
Wir fahren mit der Kutsch!
Wir fahren über Stock und Stein.
Da bricht das Pferdchen sich ein Bein!
Ri-ra-rutsch!
Es ist nichts mit der Kutsch!

Ri-ra-ritten!
Wir fahren mit dem Schlitten.
Wir fahren übern tiefen See,
da bricht der Schlitten ein, o weh!
Ri-ra-ritten!
Wir fahren mit dem Schlitten!

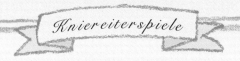

Ri-ra-ruß!
Jetzt gehen wir zu Fuß!
Da bricht auch kein Pferdebein,
da bricht uns auch kein Schlitten ein.
Ri-ra-ruß!
Jetzt gehen wir zu Fuß.

Ri-ra-rutsch!
Wir fahren mit der Kutsch!
Wir fahren mit der Schneckenpost,
wo es keinen Pfennig kost'!
Ri-ra-rutsch!
Wir fahren mit der Kutsch!

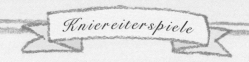
Wenn die Kinder kleine sind

Wenn die Kinder kleine sind,
reiten sie auf Knien geschwind.
Wenn sie größer werden,
reiten sie auf Pferden.
Geht das Pferdchen im Galopp,
fällt der Reiter auf den Kopp.

Sieben kleine Hasen

Sieben kleine Hasen,
saßen auf dem Rasen,
saßen, bis sie ganz vergaßen,
warum sie auf dem Rasen saßen.

*Am Schluss das Kind von den Beinen nehmen
und auf den Boden setzen.*

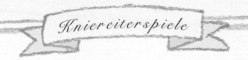

Bauer, bind den Pudel an

Bauer, bind den Pudel an,
dass er mich nicht beißen kann.
Beißt er mich, verklag ich dich,
tausend Taler kostet's dich.
Tausend Taler sind kein Geld,
wenn nur mein Pudel mir gefällt.

Eine kleine Dickmadam

Eine kleine Dickmadam
fuhr mal mit der Eisenbahn,
Eisenbahn, die krachte.
Dickmadam, die lachte.
Lachte, bis der Schaffner kam
und sie mit zum Schutzmann nahm!

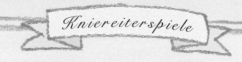

Wollt ein Knabe

Wollt ein Knabe, jung an Jahren,
selber mit dem Auto fahren,
Knabe lenkt es kaum,
Auto fährt an'n Baum.
Sprach der Knabe: „Huch,
war nur ein Versuch."
Kam die strenge Polizei
und schon war die Fahrt vorbei.

A B C

A B C,
beißen mich die Flöh,
beißen mich die Wanzen,
kann ich nicht mehr tanzen,
beißen mich die Stiegelitzen,
kann ich nimmer stille sitzen.
Das Kind gleichzeitig kitzeln.

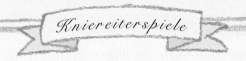

Schaukellied

(August Heinrich Hoffmann von Fallersleben)

Schaukle auf und schaukle nieder!
Vor dem Bösen flieh zurück,
zu dem Guten kehre wieder,
denn das Gute sei dein Glück.

Findet sich auch Leid mitunter –
frisch Bewegung gibt dir Kraft;
schaukle fröhlich, schaukle munter,
werde stark und ritterhaft!

Nicht im Staube sollst du wallen,
wie ein unstet schwankend Rohr!
In des Himmels blaue Hallen
schaukle fröhlich dich empor.

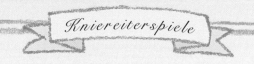

Wer will auf die Wartburg reiten

Wer will auf die Wartburg reiten,
muss sich gründlich vorbereiten,
will man diesen unbequemen
Pfad mit einem Esel nehmen.
Muss ihm lieb die Mähne streichen
und ihm ein Stück Zucker reichen.
Muss im Sattel stille sitzen
und nicht mit der Peitsche kitzeln.
Muss im Fell sich nicht festkrallen,
folgen dann den andren allen.
Dann ist auch der Esel nett –
wie einst zur Elisabeth.

Bei den entsprechenden Versen dem Kind
über den Kopf streicheln, die Hand hinhalten und kitzeln.

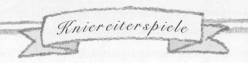

Wer will reiten in die Weiten

Wer will reiten in die Weiten,
der darf nicht auf Schafen reiten.
Auch dem Schweinchen tut's nicht gut,
und zum Rösslein braucht es Mut.
Ungeeignet ist der Hund,
denn es ist sehr ungesund,
wird man von dem Hund gebissen
oder auch nur abgeschmissen.
Willst du reiten auf den Ziegen,
wirst du schnell am Boden liegen.
Auch die liebste Kuh von allen
lässt sich's Reiten nicht gefallen.
Reite nur auf Papas Beinen,
das ist sich'rer, will ich meinen.

*Beim „Hund" das Kind in die Wade zwicken,
bei den „Ziegen" durch die Beine rutschen lassen
und bei der „Kuh" ganz wild reiten,
die Beine mal nach links, mal nach rechts.*

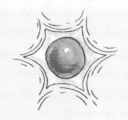

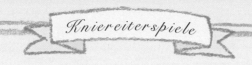

Das Büblein hat ein Rösslein

Das Büblein hat ein Rösslein,
will reiten auf das Schlösslein.
Es reitet hopp, hopp, hopp.
Mein Rösslein, lauf Galopp!
Das Rösslein will's verkaufen,
da läuft es trab, trab, trab
und wirft den Reiter ab.

Ein Esel ist nicht schnell

Ein Esel ist nicht schnell.
Er kommt kaum von der Stell'.
Auf einmal bleibt er steh'n,
mag gar nicht weiter geh'n.
Doch plötzlich fängt er an
und läuft, so schnell er kann.
Da macht er einen Satz
und du fliegst in den Matsch.

Reiter zu Pferd

Reiter zu Pferd,
der Sattel ist leer;
so möcht' ich gern wissen,
wo's Reiterchen wär.
Es sitzt auf dem Boden
und flickt seine Hosen
und flickt seine Schuh',
mein Bübchen schaut zu.

Uhren

Große Uhren machen
tick, tack, tick, tack.
Kleine Uhren machen
ticktack, ticktack, ticktack, ticktack.
Und die kleinen Taschenuhren machen
ticketacke, ticketacke, ticketacke, ticketacke.

*Die Knie zuerst langsamer, dann schneller
und am Schluss ganz schnell nach links und rechts bewegen.
Alternativ können Sie auch das Kind
in die Luft halten und die Beine hin und her schaukeln lassen.*

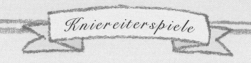

Bienchen, summ herum

(August Heinrich Hoffmann von Fallersleben)

Summ, summ, summ,
Bienchen, summ herum!
Ei, wir tun dir nichts zu Leide,
flieg nur aus in Wald und Heide!
Summ, summ, summ,
Bienchen, summ herum!

Summ, summ, summ,
Bienchen, summ herum!
Such in Blumen, such in Blümchen
dir ein Tröpfchen, dir ein Krümchen!
Summ, summ, summ,
Bienchen, summ herum!

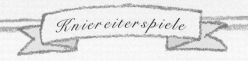

Summ, summ, summ,
Bienchen, summ herum!
Kehre heim mit reicher Habe,
bau uns manche volle Wabe!
Summ, summ, summ,
Bienchen, summ herum!

Summ, summ, summ,
Bienchen, summ herum!
Bei den Heilig-Christ-Geschenken
wollen wir auch dein gedenken.
Summ, summ, summ,
Bienchen, summ herum!

Summ, summ, summ,
Bienchen, summ herum!
Wenn wir mit dem Wachsstock suchen
Pfeffernüss und Honigkuchen.
Summ, summ, summ,
Bienchen, summ herum!

Im Takt reiten, einmal langsamer und einmal schneller.

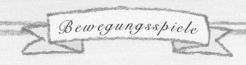

Bewegungsspiele

Bewegung ist nicht nur gesund, sondern auch lustig.
So wenigstens sehen es die Kinder. Zu zweit,
zu dritt oder in der Gruppe, mit oder ohne Musik,
eher ruhig oder etwas turbulenter: In unserer Sammlung
haben wir eine Auswahl der schönsten Bewegungsspiele
zusammengestellt, die allen Ansprüchen gerecht werden.
Viele Spiele werden Sie noch aus Ihrer eigenen Kindheit
kennen und vielleicht entdecken Sie ja selbst wieder
das Kind in sich. Ihre Kinder jedenfalls werden
großen Spaß daran haben.

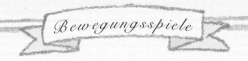

Übermut und Tunichtgut

Das Kind auf den Rücken legen und die Beine in den Händen halten.

„Ich bin das Füßchen Übermut"

Das linke Bein schütteln.

„und ich das Beinchen Tunichtgut."

Das rechte Bein schütteln.

Übermut und Tunichtgut gehen auf die Reise.

Laufbewegungen machen.

Stapfen durch die Sümpfe,
nasse Schuh' und Strümpfe.

An den Fußsohlen reiben.

Da kommt ein wildes Tier gelaufen,

Laufbewegungen werden schneller.

wirft beide Beinchen übern Haufen.

Die Beine zur Seite legen.

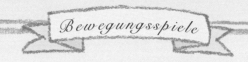

Die Maus hat rote Strümpfe an

Die Maus hat rote Strümpfe an,
damit sie besser radeln kann.
Sie radelt bis nach Dänemark,
denn Radeln macht die Waden stark.

*Das Kind auf den Rücken legen, die Beine nehmen
und Radfahrbewegungen machen.*

Die Maus hat rote Handschuh' an,
damit sie besser rudern kann.
Sie rudert bis nach Dänemark,
denn Rudern macht die Arme stark.

*Hinter das Kind setzen und gemeinsam
mit ihm Ruderbewegungen machen.*

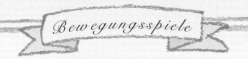

Guten Morgen

Melodie von „Kommt ein Vogel geflogen"

Guten Morgen, guten Morgen,
wir winken uns zu.
Guten Morgen, guten Morgen,
erst ich und dann du.

Guten Morgen, guten Morgen,
wir nicken uns zu.
Guten Morgen, guten Morgen,
erst ich und dann du.

Guten Morgen, guten Morgen,
wir blinzeln uns zu
Guten Morgen, guten Morgen,
erst ich und dann du.

Guten Morgen, guten Morgen,
wir lächeln uns zu.
Guten Morgen, guten Morgen,
erst ich und dann du.

*Dem Kind gegenüber sitzen und zuwinken
(nicken, blinzeln, lächeln). Dann mit dem Finger
auf sich selbst und anschließend auf das Kind zeigen.*

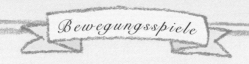

Müllers Sackerl

Müller Müllers Sackerl,
schwer ist dieses Packerl.
Ist der Müller nicht zu Haus:
Schloss vor, Riegel vor,
werfen wir 's Sackerl hinters Tor.

*Das Kind von hinten hochheben, hin und her
schwenken und am Schluss in einem hohen Bogen
zur Seite schwingen und absetzen.*

Schifflein

Fährt ein Schifflein übers Meer,
schaukelt hin und schaukelt her,
kommt ein großer Sturm,
bläst das Schifflein um.

*Dem Kind gegenüber sitzen, ihm an die Schultern fassen,
nach links und rechts schaukeln, leicht ins Gesicht pusten und
nach hinten umschubsen.
Nur auf einer weichen Unterlage spielen! (zum Beispiel auf dem Bett)*

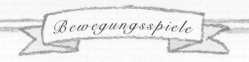

Auf der Donau will ich fahren

Melodie von „Kommt ein Vogel geflogen".

Auf der Donau will ich fahren,
hab ein Schifflein geseh'n.
Und das Schifflein heißt .... *Name des Kindes einsetzen.*
und der/die .... darf sich jetzt drehn.

Die Kinder stehen im Kreis. Jedes Kind darf
einmal in die Mitte des Kreises und sich drehen.

Meine Hände sind verschwunden

Melodie von „Kommt ein Vogel geflogen"

Meine Hände sind verschwunden,
habe keine Hände mehr!

Ei, da sind die Hände wieder,
tralalalalala.

Bei der ersten Strophe verschwinden die Hände hinter dem Rücken,
bei der zweiten tauchen sie wieder auf. Dasselbe lässt sich mit anderen
Körperteilen wiederholen, zum Beispiel:
Nase: Hände werden vor die Nase gehalten.
Augen: Hände werden vor die Augen gehalten.

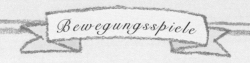

Kommt ein Auto angefahren

Melodie von „Kommt ein Vogel geflogen"

Kommt ein Auto angefahren,
erst ganz langsam, dann ganz schnell,
fährt mit hundert um die Ecke,
seine Räder quietschen hell.

Liebes Auto, fahr doch langsam,
nimm dir doch ein wenig Zeit,
und genieß die schöne Landschaft,
bis nach Haus ist's nicht mehr weit.

*Das Kind zwischen die Beine nehmen und
die Fahrbewegungen mitmachen.*

Karussell

Auf der grünen Wiese
steht ein Karussell,
es dreht sich einmal langsam,
es dreht sich einmal schnell.
Einsteigen, fest halten, losfahren!

*Dem Kind von vorne oder von hinten unter die Arme greifen und beginnen,
sich zu drehen. Dann das Kind hochheben und weiter drehen.*

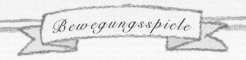

Herbst

Von den Bäumen,

Mit den Händen einen Baum in die Luft malen.

Donnerwetter,

Mit den Füßen auf den Boden stampfen.

fallen ab die bunten Blätter.

*Die Finger zappeln lassen und dabei
die Hände von oben nach unten bewegen.*

Langsam wird es bitterkalt,

Die Arme vor der Brust verschränken und bibbern.

meine Hände frieren bald.

Die Hände aneinander reiben.

Doch dann komm ich zu dir

Die gefalteten Hände dem Kind entgegenstrecken.

und du wärmst sie mir.

Kind nimmt die Hände.

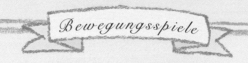

Elefantenstraßen

Was müssen das für Straßen sein,

Ungläubig den Kopf schütteln.

wo die großen

*Auf die Zehenspitzen stellen und
die Hände nach oben strecken.*

Elefanten

*Einen Elefantenrüssel machen.
(Eine Hand fasst an die Nasenspitze.
Der freie Arm wird durch die entstandene
Öffnung gestreckt und die Hand winkt auf und ab.)*

spazieren gehen,

Mit den Händen Gehbewegungen machen.

ohne sich zu stoßen.

Die Fäuste aneinander klopfen.

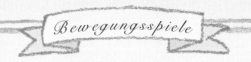

Links sind Bäume, rechts sind Bäume

Links und rechts Bäume in die Luft malen.

und dazwischen Zwischenräume.

*Mit den geöffneten Händen
verschiedene Abstände anzeigen.*

Was müssen das für Straßen sein!
Ungläubig mit dem Kopf schütteln.

*Den ganzen Text sehr langsam und
bedeutungsschwer sprechen, damit genug Zeit
zum Spielen bleibt.*

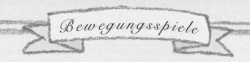
Brummelbär

Refrain:
Brummelbär, der geht spazieren,
will ein neues Lied probieren.

Im Kreis herumgehen.

Kommt er an ein kleines Haus,

Die Hände als Dach über den Kopf halten.

klopfet an,

An eine gedachte Tür klopfen.

wer schaut heraus?

Eine Hand an die Stirn legen und Ausschau halten.

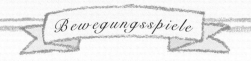
Strophen:
Eine alte Hexe, die rührt im Topf herum.
Und die Trommel, und die Trommel,
die macht bum, bum, bum.

Eine schwarze Katze, die macht den Buckel krumm.
Und die Trommel, und die Trommel,
die macht bum, bum, bum.

Eine dicke Kröte, die hüpft im Kreis herum.
Und die Trommel, und die Trommel,
die macht bum, bum, bum.

Eine gelbe Rübe, die fällt auf einmal um.
Und die Trommel, und die Trommel,
die macht bum, bum, bum.

Die entsprechenden Bewegungen ausführen und
bei jedem „bum" der Trommel mit der Hand
auf den Boden klatschen.

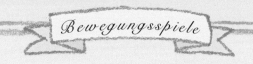

Mein Hut der hat drei Ecken

Mein Hut, der hat drei Ecken,
drei Ecken hat mein Hut.
Und hätt' er nicht drei Ecken,
dann wär's auch nicht mein Hut.

Bei „mein" zeigt man mit dem Zeigefinger auf sich selbst,
der Hut wird dargestellt, indem die Hände über dem Kopf
ein Dach bilden, bei „drei" werden drei Finger gezeigt,
für die Ecken bilden Daumen und Zeigefinger
beider Hände ein Dreieck.
Alle Figuren werden an den entsprechenden Stellen gemacht.
Dann wird das Lied von vorne gesungen, wobei jeweils
ein Begriff nicht gesungen, sondern nur gezeigt werden darf,
angefangen bei „mein". Von Mal zu Mal wird es schwieriger.

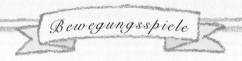

Es tanzt ein Bi-Ba-Butzemann

Es tanzt ein Bi-Ba-Butzemann
in unserm Haus herum, fidebum,
es tanzt ein Bi-Ba-Butzemann
in unserm Haus herum.
Er rüttelt sich, er schüttelt sich,
er wirft sein Säcklein hinter sich.
Es tanzt ein Bi-Ba-Butzemann
in unserm Haus herum.

Ein Kind tanzt in der Mitte und wirft dann
sein imaginäres Säcklein über die Schulter.
Die anderen klatschen dazu rhythmisch in die Hände.

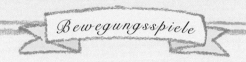

Ich bin ein kleiner Hampelmann

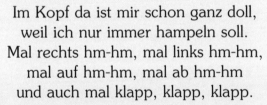

Ich bin ein kleiner Hampelmann,
der Arm und Bein bewegen kann.
Mal rechts hm-hm, mal links hm-hm,
mal auf hm-hm, mal ab hm-hm
und auch mal klapp, klapp, klapp.

Man hängt mich immer an die Wand
und zieht an einem langen Band.
Mal rechts hm-hm, mal links hm-hm,
mal auf hm-hm, mal ab hm-hm
und auch mal klapp, klapp, klapp.

Im Kopf da ist mir schon ganz doll,
weil ich nur immer hampeln soll.
Mal rechts hm-hm, mal links hm-hm,
mal auf hm-hm, mal ab hm-hm
und auch mal klapp, klapp, klapp.

Doch mach ich nie ein bös' Gesicht,
denn Spielverderber bin ich nicht.
Mal rechts hm-hm, mal links hm-hm,
mal auf hm-hm, mal ab hm-hm
und auch mal klapp, klapp, klapp.

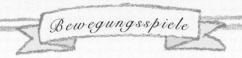

Immse wimmse Spinne

Melodie von „Spannenlanger Hansel"

Immse wimmse Spinne,
wie lang dein Faden ist.

*Zwischen beiden Zeigefingern den imaginären Faden
auseinander ziehen (nach oben und unten).*

Da kam der große Regen
und der Faden riss.

Die Hände hinter dem Rücken verstecken.

Da kam die liebe Sonne,
leckt den Regen auf,

Mit beiden Händen eine große Sonne in die Luft malen.

immse wimmse Spinne,
kletterst wieder rauf.

Mit den Fingern einer Hand nach oben klettern.

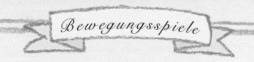

Wer will fleißige Handwerker sehn

Wer will fleißige Handwerker sehn,
der muss zu uns Kindern geh'n.
Stein auf Stein, Stein auf Stein,
das Häuschen wird bald fertig sein.

Strich, strich, strich; strich, strich, strich,
der Maler malt die Wände frisch.

Seht, wie fein, seht, wie fein,
der Glaser setzt die Scheiben ein.

Zisch, zisch, zisch; zisch, zisch, zisch,
der Tischler hobelt glatt den Tisch.

Tief hinein, tief hinein,
der Schornstein wird bald sauber sein.

Schrumm, schrumm, schrumm; schrumm, schrumm, schrumm,
der Schlosser dreht den Schlüssel um.

Rühret fein, rühret fein,
der Bäcker rührt den Kuchen ein.

Poch, poch, poch; poch, poch, poch,
der Schuster flickt im Schuh das Loch.

Stich, stich, stich; stich, stich, stich,
der Schneider näht ein Kleid für dich.

Hopp, hopp, hopp, hopp, hopp, hopp,
alle tanzen im Galopp.

Die Kinder spielen alle Tätigkeiten nach.

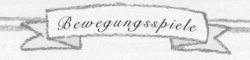

Zeigt her eure Füße

Zeigt her eure Füße, zeigt her eure Schuh',
und sehet den fleißigen Waschfrauen zu:

Sie waschen, sie waschen, sie waschen den ganzen Tag.

Sie schwemmen, sie schwemmen, sie schwemmen den ganzen Tag.

Sie wringen, sie wringen, sie wringen den ganzen Tag.

Sie schwatzen, sie schwatzen, sie schwatzen den ganzen Tag.

Sie hängen, sie hängen, sie hängen den ganzen Tag.

Sie legen, sie legen, sie legen den ganzen Tag.

Sie bügeln, sie bügeln, sie bügeln den ganzen Tag.

Sie tanzen, sie tanzen, sie tanzen den ganzen Tag.

Sie ruhen, sie ruhen, sie ruhen den ganzen Tag.

Kinder spielen die Tätigkeiten nach.

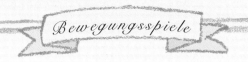
Taler, Taler, du musst wandern

Taler, Taler, du musst wandern,
von der einen Hand zur andern.
Das ist schön, das ist schön.
Niemand darf den Taler sehn!

*Die Kinder sitzen im Kreis, eines steht in der Mitte.
Während des Singens versuchen die Kinder im Kreis
hinter ihren Rücken eine Münze von einem zum anderen
weiterzureichen, ohne dass das Kind in der Mitte etwas
davon bemerkt. Wer sich beim Weiterreichen erwischen lässt,
muss als Nächstes in die Mitte.*

Eisenbahn

Tuff, tuff, tuff, die Eisenbahn,
wer will mit, der hängt sich dran.
Alleine fahren mag ich nicht,
drum nehme ich den/die .... mit.

*Der Spielleiter ist die Lokomotive und wählt sich der Reihe
nach die Kinder aus, die sich hinten an den Zug anhängen.*

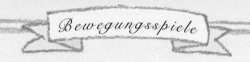
Bist du fröhlich

Melodie von „Von den Blauen Bergen kommen wir"

Bist du fröhlich, klatsch doch einfach in die Hand.
Bist du fröhlich, klatsch doch einfach in die Hand.
Bist du fröhlich und du weißt es und du willst es allen zeigen,
bist du fröhlich, klatsch doch einfach in die Hand.

Bist du fröhlich, klatsch doch einfach auf die Knie ...

Bist du fröhlich, stampf doch einfach mit dem Fuß ...

Bist du fröhlich, zeig doch einfach alle fünf ...

Bist du fröhlich, nick doch einfach mit dem Kopf ...

Bist du fröhlich, ruf doch einfach laut Hurra ...

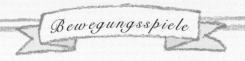

Wir haben eine Ziehharmonika

Wir haben eine Ziehharmonika,
eine Tschinderassa, tschinderassa, bumm, bumm, bumm.
Wir haben eine Ziehharmonika,
eine Tschinderassa, tschinderassa, bumm, bumm, bumm.
Sie spielt uns immer wieder die allerschönsten Lieder.
Wir haben eine Ziehharmonika,
eine Tschinderassa, tschinderassa, bumm, bumm, bumm.

*Alle stehen im Kreis und fassen sich gegenseitig
an den Händen. Die Ziehharmonika geht auf und zu,
indem alle gleichzeitig abwechselnd zwei Schritte nach hinten
und wieder zwei Schritte nach vorne machen.*

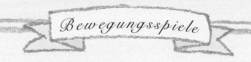

Wule, wule Gänschen

*Die Kinder bilden einen Kreis und halten sich an den Händen.
Ein Kind (Frau Schnatterin) steht in der Mitte.*

Wule, wule, Gänschen,
wackelt mit dem Schwänzchen,
wollt ihr wissen, wer ich bin?
Ich bin die Frau Schnatterin,
ihr seid meine Kinder, gi, ga, gei!

Komm, du meine Graue,
und du, meine Blaue,
und du mit dem langen Zopf
und du mit dem dicken Schopf
und du schwarzer Peter; gi, ga, gei,
und du schwarzer Peter; gi, ga, gei.

*Frau Schnatterin läuft im Kreis herum und holt
bei jeder Zeile ein Kind zu sich in die Mitte.
Nun laufen alle Kinder in der Mitte im Kreis herum.*

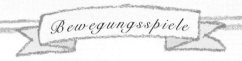

Seht, da sind sie alle Fünfe,
ohne Schuh' und ohne Strümpfe,
hei, wie ist das Leben schön,
wenn die Gänschen barfuß gehen,
selbst am lieben Sonntag, gi, ga, gei,
selbst am lieben Sonntag, gi, ga, gei.

Schniebel, Schnabel, Schnäbel,
kommt der Herbst mit Nebel,
Gänsebraten, Gänsefett,

Die Bäuche reiben.

weiche Federn für das Bett,

*Den Kopf zur Seite neigen und die zusammengelegten Hände
an die Wange schmiegen.*

freu'n sich alle Kinder; gi, ga, gei,
freu'n sich alle Kinder; gi, ga, gei.

In die Hände klatschen.

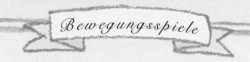
Ringel, Ringel, Rosen

Alle Kinder laufen im Kreis.

Ringel, Ringel, Rosen,
schöne Aprikosen,
Veilchen und Vergissmeinnicht,
alle Kinder setzen sich.

Hinsetzen.

Mit den Füßen trapp, trapp, trapp,

Mit den Füßen auf den Boden trappen.

mit den Händen klatsch, klatsch, klatsch,

In die Hände klatschen.

mit dem Finger tick, tick, tick,

Mit dem Finger an die Stirn tippen.

mit dem Köpfchen nick, nick, nick,

Mit dem Kopf nicken.

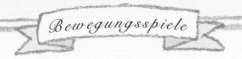

Mit den Ohren zupf, zupf, zupf,

An den Ohren zupfen.

mit den Haaren rupf, rupf, rupf,

An den Haaren ziehen.

auf die Nase bumm, bumm, bumm,

Auf die Nase stupsen.

alle Kinder fallen um.

Nach hinten umfallen lassen.

Kommt ein großer Wirbelwind,
stehen alle auf geschwind.

Wieder aufstehen.

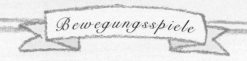

Häslein in der Grube

Häslein in der Grube
saß und schlief,
saß und schlief.
Armes Häslein, bist du krank,
dass du nicht mehr hüpfen kannst?
Häslein hüpf, Häslein hüpf, Häslein hüpf!

Alle stehen im Kreis.
Ein Kind (das Häslein) hockt in der Mitte und
bei „Häslein hüpf!" hüpft es.

Mein rechter Platz

Die Kinder setzen sich in einem Kreis auf den Boden,
aber ein Platz bleibt leer. Das Kind, dessen rechter Platz leer ist,
macht den Anfang und sagt sein Sprüchlein auf:

Mein rechter Platz ist leer,
ich wünsche mir den/die … her.

Daraufhin setzt sich der/die Gewünschte auf den
freien Platz und das Kind, dessen rechter Platz
gerade frei geworden ist, ist nun mit seinem Sprüchlein dran.